12 Clés pour la Vie

Tableau de la couverture: *Le Seigneur du mont Qâf*
acrylique sur toile, 30 x 40 po.
du peintre Jac Lapointe

Concept de présentation: *Jacinthe Rouleau*

Illustrations et infographie: *Jac Lapointe*

Édition et distribution: Collection Muse et Mage
C.P. 192, Saint-Jérôme, Qué. Canada J7Z 5T9
tél: (514) 565-9655   fax: (514) 565-1517

Dépot légal: 2e trimestre 1997
Bibliothèque nationale du Québec
© Jacinthe Rouleau, 1997 (tous droits réservés)

ISBN: 2-9805546-0-X

12 Clés
pour la Vie

Jacinthe Rouleau

Dédicace

Je dédie ce livre à deux êtres extraordinaires:
mes deux filles Katrine et Anouk.

En voulant leur montrer à être proche de leurs
sentiments profonds, je n'ai pas eu le choix
d'appliquer ce principe moi-même.

On enseigne le mieux,
ce qu'on a le plus besoin d'apprendre.

Merci de m'avoir choisie comme mère,
vous m'avez élevée autant que je vous ai élevées.

Avant-propos

Voici des réflexions sur le sens de la vie qui pourront, je l'espère, apporter une note d'espoir et d'optimisme à tous ceux et celles qui en ont besoin.

Nous traversons actuellement une période de grande transformation où tous nos paramètres doivent être réévalués. Nous avons besoin de nous ajuster rapidement et d'effectuer les changements nécessaires pour évoluer dans cette nouvelle direction.

Je n'ai pas la prétention d'inventer quoi que ce soit; je veux seulement raviver votre mémoire avec certains principes de vie qui, sous un éclairage différent, peuvent parfois susciter une nouvelle compréhension.

J'ai toujours travaillé avec le public et je souhaite partager avec vous ce que j'ai appris dans cette grande école de la vie. La majorité des gens croient qu'ils vivent à peu près les mêmes choses que tout le monde. Ils naissent, grandissent et franchissent toutes sortes d'étapes; ils aiment, souffrent, sont parfois heureux ou malheureux et finissent tous par mourir. Ils n'ont pas tout à fait tort, mais c'est résumer en bien peu de mots, toute l'expérience humaine sur cette planète.

Il est important de réaliser que ce qui nous différentie les uns des autres, c'est notre façon d'envisager toutes ces expériences et d'en comprendre le sens. C'est une question d'attitude et d'ouverture d'esprit. D'ailleurs, l'esprit est comme un parachute: il fonctionne seulement quand il est ouvert!

Prenons par exemple, les fils d'un alcoolique. Le premier s'identifie à son père et pense qu'il ne peut faire autrement que devenir lui aussi un alcoolique. Le second pense le contraire et refuse de continuer à mener la vie infernale qu'il a subie durant son enfance. Malgré qu'ils aient connu tous deux le même contexte familial, ils choisiront des options opposées. Tout dépend du regard que nous portons sur la vie et c'est à nous de décider ce que nous voulons en faire; nous ne pouvons jamais blâmer les autres de ce qui nous arrive.

Chaque personne doit d'abord rapatrier son territoire. L'autonomie est quelque chose qui se conquiert individuellement, non pas en groupe, même si cela peut parfois favoriser l'émergence d'échanges fructueux. L'appartenance à un groupe ne doit jamais créer de dépendance et nous amener à remettre notre pouvoir entre les mains d'une autre personne.

Pour ma part, le seul groupe dont j'ai été membre, est le fan-club d'Elvis Presley quand j'avais quatorze ans. Tous les jeunes avaient été conquis en voyant le King se déhancher sur un Rock'n Roll au Ed Sullivan show à la télévision. Je me rappelle que c'était considéré obscène à l'époque. Ce qui n'a pas empêché toute ma génération de danser sur cette musique et de ne pas s'en porter plus mal aujourd'hui.

Il y a toujours eu beaucoup de résistance à l'égard de tout ce qui est nouveau, mais il ne faut quand même pas devenir paranoïaque et voir du danger partout.

Énormément de gens se remettent en question actuellement. Toutes les générations et les couches de la société y passent. Ce n'est pas le lot de quelques privilégiés, comme on voudrait bien le croire. Ces personnes sentent le besoin de trouver

un nouveau sens à leur vie. Elles ne supportent plus de se sentir dissociées de ce qu'elles sont au plus profond d'elles-mêmes, et décrochent de jouer des rôles qui ne leur conviennent plus.

Ces nouveaux explorateurs de la vie se posent maintenant des questions essentielles à leurs yeux. Ils veulent suivre la voie du coeur plutôt que celle de la raison et répondre à l'appel de leur âme!

Pour tous ceux et celles qui sont à la recherche d'un nouvel art de vivre, quelles sont les solutions de rechanges, et où trouver des réponses valables?

Malheureusement le débat sur ce sujet est peu encouragé et souvent esquivé. On préfère jeter le bébé avec l'eau du bain et inciter les gens à rester sagement dans les rangs afin de ne pas déranger. J'en sais quelque chose: c'est l'histoire de ma vie! Voilà ce qui m'a motivée à terminer ce projet de livre commencé en 1991. L'idée d'affronter la critique me paralysait et aujourd'hui je trouve le courage de faire face à ma peur en m'inspirant de cette pensée de William Blake: «*Rien ne peut résister à la furie de ma course parmi les étoiles de Dieu et les abîmes de l'Accusateur.*»

Ce livre, se veut tout simplement un outil à la portée de tous, pour s'aider à mieux vivre et à comprendre le sens réel de la vie. J'ai voulu témoigner de ma propre expérience et vous transmettre les pistes que j'ai découvertes sur mon parcours, espérant que cela puisse devenir une source d'inspiration. La route est longue sur le chemin de la découverte de soi et de l'authenticité. Souvenez-vous: il n'y a pas qu'une seule vérité et chacun doit trouver la sienne. C'est aussi un clin d'oeil humoristique sur certaines péripéties de ma vie. Je suis une raconteuse de la vie et j'aime m'exprimer avec un langage naturellement imagé. Loin de moi l'idée d'analyser l'interaction de la betterave à sucre sur la vie sexuelle du maringouin!

Si je parviens avec mes **12 Clés Pour La Vie** à fournir certains indices valables pour vous aussi, j'aurai atteint mon but. J'ai fait souvent appel dans ma vie à des petits livres de chevet remplis de capsules optimistes, et j'espère que ce livre en deviendra un, lui aussi.

Jacinthe Rouleau
avril 1997

Pensée

La vie est un éternel combat
à travers lequel
on doit conserver notre idéal
au-dessus de tout.

Chapitre
-I-

Le Courage de Vivre

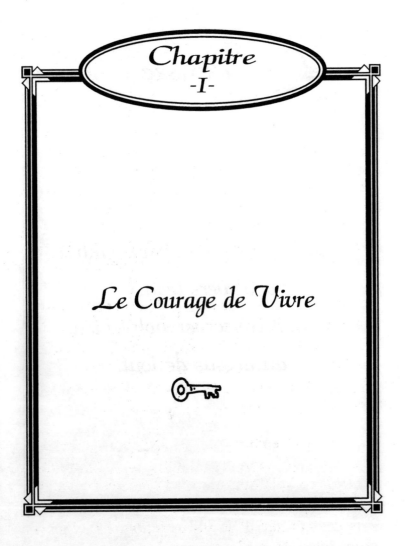

Je veux vous raconter ici un événement survenu lorsque j'avais douze ans: le jour où j'ai osé tenir tête à ma mère!

Elle m'avait acheté une robe affreuse et, obligatoirement, je devais l'étrenner ce jour-là. Je revenais chez-moi fâchée d'avoir fait rire de moi par mes camarades de classe, avec cette robe quétaine sur le dos. En arrivant à la maison, ma mère était en train de se plaindre de tous les sacrifices qu'elle devait faire pour ses enfants, et termina son long discours sur le sujet en m'apostrophant: «Eh toi! qui paie pour ton linge, hein?»

C'était la goutte qui faisait déborder le vase. Ma mère qui faisait peur à tout le monde avec son caractère, n'allait pas tarder à s'apercevoir que je ne tenais pas de la voisine. Sur le champ, je me suis déshabillée et je lui ai redonné la robe en répondant que je n'avais pas demandé à venir au monde.

Cette femme autoritaire et scrupuleuse n'avait pas apprécié du tout ce geste en plus de mes paroles, vous vous en doutez bien. Sa colère éclata comme le tonnerre et ses yeux lançaient des éclairs lorsqu'elle m'accusa d'être «sans coeur pour parler ainsi».

Subito presto, j'ai dû remettre la robe affreuse et je me suis retrouvée à genoux dans le coin de la cuisine. Quatre heures plus tard, je refusais encore d'excuser ma conduite. Elle m'envoya me coucher, malgré ma faim, car cette pénitence m'avait fait sauter le repas. J'aurais préféré mourir de faim plutôt que demander pardon.

J'étais convaincue d'avoir raison et je me disais que dans la vie, il faut savoir se tenir debout, même si pour cela, je me retrouvais soudainement à genoux. Comme la vie peut parfois sembler bizarre et incohérente aux yeux d'un enfant!

C'est plus facile de faire l'hypocrite et de se laisser assimiler par le groupe. Mais je refusais de me laisser dresser et de me taire quand j'avais des choses à dire. J'étais la huitième d'une famille de neuf enfants et ma mère me disait que j'étais la seule à agir de la sorte. Immanquablement, je lui répondais que j'étais pareille comme elle et je la remerciais d'avoir du caractère. Après tout, n'avait-elle pas quitté sa Gaspésie natale et sa famille dès l'âge de seize ans, pour mener sa vie à sa guise? En levant les bras au ciel, elle finissait toujours par ajouter en parlant de moi: «Où est-ce que j'ai bien pu aller pêcher cette enfant-là?»

Je savais que mon attitude pouvait sembler épouvantable mais ce qui se passait dans ma tête à ce moment-là, était bien pire. Justement je souhaitais retourner d'où je venais!

C'était mon cri d'alarme. Je me sentais seule et totalement incomprise dans cette grande famille si différente de moi. J'étais la seule à vouloir poursuivre des études, et ma mère trouvait qu'étudier était une perte de temps, surtout pour une fille qui devrait plutôt broder en attendant de se marier.

Quand elle me disait: «T'es juste une fille, va falloir que tu te résignes», ça me fâchait tellement, que je tapais du pied en hurlant: « Non, jamais je ne me résignerai! »

J'avais l'impression, que ma mère sortait tout droit du moyen-âge et je ne comprenais pas pourquoi les autres abdiquaient devant elle. Peut-être parce qu'ils étaient tous nés dans les années trente et que la contestation était impensable pour cette génération?

Je n'avais vraiment rien de commun avec eux et ils ridiculisaient tout ce que j'aimais. Je me demandais ce que je faisais sur terre, d'ailleurs je n'avais pas envie d'y rester. Souvent en traversant la rue, je priais pour mourir écrasée par un camion. Je ne voulais pas vivre comme ma famille et je me disais: si c'est ça la vie, je préfère mourir. J'étais tannée de me faire dire: «Tu n'es pas comme les autres, je ne sais pas ce qu'on va faire de toi.» Je me sentais rejetée et en plus, peut-être rendue responsable du malheur de ma mère. Non, je refusais de porter le fardeau de sa vie, le mien me paraissait déjà trop lourd.

Sans vraiment le réaliser, je cherchais une motivation pour continuer à vivre. Heureusement, j'aimais les études. J'étais très curieuse et je voulais tout savoir. J'ai eu la chance d'avoir des professeurs extraordinaires et passionnées de leur métier. En plus de me stimuler à étudier, elles devenaient des modèles à suivre: enfin j'en avais trouvés qui me convenaient! Je passais tout mon temps à étudier et à participer aux activités culturelles de l'école, où je me sentais bien, dans mon élément.

C'est alors que j'ai découvert des livres fabuleux sur l'esprit chevaleresque, ce qui m'a beaucoup inspirée. Ces légendes m'ont donné le goût de partir à la conquête du chevalier qui sommeille en nous pour accepter de livrer la bataille de la vie. Si la vie était un éternel combat à travers lequel on devait conserver son idéal au-dessus de tout, ça devenait un défi fantastique. Même si certains jours, le bouclier pouvait sembler trop lourd, j'étais certaine de trouver les moyens de continuer d'avancer, car une foi inébranlable me soutenait.

Étant première de classe, c'est l'école qui m'a valorisée et a été ma planche de salut à cette époque. C'est grâce à cette force de caractère, tant reprochée par ma famille, que j'ai pu trouver le courage de vivre. Heureusement que je suis une personne combative, qui aime relever les défis, sinon je ne serais plus là pour témoigner.

Pour avoir autant cherché ce courage de vivre, je peux vous dire aujourd'hui que chacun doit d'abord trouver sa propre motivation. Chaque être est unique et a quelque chose de spécial à accomplir. Cependant il incombe à chacun de le trouver. Soyons fidèles à notre idéal, osons afficher nos couleurs et assumons pleinement notre vie.

Très jeune, j'ai dû apprendre à me battre pour survivre et à prendre ma place. Je crois maintenant que ce contexte a été une chance exceptionnelle, comme si la vie avait cherché très tôt à tremper mon armure! J'ai compris que le dur apprentissage de ma jeunesse avait contribué à faire de moi l'être que je suis aujourd'hui: un être qui, à travers un parcours rempli d'embûches, a toujours eu le courage de vivre selon ses valeurs.

La vie m'a aussi démontré qu'il faut savoir faire face aux obstacles sans chercher à les fuir. Comme le Samouraï, vous constaterez qu'il n'y a pas de problèmes, qu'il n'y a que des épreuves à surmonter qui deviennent de merveilleuses occasions de déployer tout ce dont vous êtes capable.

L'archétype du chevalier est un modèle

extrêmement inspirant. Sa noblesse de coeur fait en sorte qu'il a la capacité de s'élever au delà de sa propre personne pour contribuer à bâtir un monde meilleur. Sa loyauté et sa droiture le maintiennent sur le chemin qu'il a choisi.

Plus que jamais, les jeunes ont besoin de modèles pour être stimulés. De nos jours c'est plutôt démotivant, quand on regarde ce qui se passe socialement, politiquement et économiquement. Alors, les jeunes, accrochez-vous et taillez-vous une place. Vous êtes là pour une raison précise et c'est à vous de le découvrir et de faire arriver vos rêves.

Finalement je me suis réconciliée avec ma mère, du moins dans mon coeur, puisqu'elle n'est plus là depuis longtemps. J'ai compris qu'elle avait fait de son mieux et n'avait fait que transmettre ce qu'elle avait reçu. Dans mon enfance, à chaque fois que je lui tenais tête, elle me disait: «Tu verras, un jour un de tes enfants va te remettre tout ce que tu me fais vivre.»

J'ai envie de vous confier qu'elle a eu sa revanche par la plus jeune de mes deux filles! Sa période de contestation commença très tôt et du haut de ses cinq ans, elle refusait d'aller se coucher quand c'était l'heure en me disant: «Je ne suis pas d'accord avec ça, faudrait en discuter!»

La première fois qu'elle fit ce commentaire, mes sentiments furent partagés entre un fou rire indescriptible et l'ahurissement total! Eh là, je me suis demandé après toutes ces années, si ma mère n'était pas revenue: «Maman, est-ce que c'est toi?»

Faisons en sorte de sortir plus grands de notre expérience de la vie que lorsque nous y sommes entrés. Le courage de vivre, c'est être à la hauteur de son destin.

Pensée

Chaque personne que l'on rencontre
détient un message pour nous
et nous en avons un pour elle,
soyons attentifs.

Chapitre
-2-

La Force
de la Pensée Positive

N'avez-vous pas remarqué que la plupart des gens n'ont d'yeux que pour les nuages en regardant le ciel, au lieu de voir cette immensité d'un bleu si magnifique?

Se concentrer sur ce qui est beau et ce qui est bon dans la vie est un choix significatif. J'aime mieux faire partie de ceux qui sont optimistes et veulent voir l'aspect positif en toutes choses et toutes circonstances, plutôt qu'être un rabat-joie. Tellement de gens se font un malin plaisir de vous faire descendre de votre extase, qu'on n'a pas besoin de grossir leurs rangs, ils sont suffisamment nombreux comme ça.

Faites l'exercice avec un verre d'eau à moitié rempli: est-il à moitié plein ou à moitié vide? Vous pourrez ainsi noter votre tendance. Êtes-vous porté à voir ce que vous avez ou ce qui vous manque?

J'ai souvent été à même de constater que tout découle de notre attitude. Notre vie devient exactement ce qu'on en pense, et l'extérieur n'en est que le reflet. Notre pensée et notre parole créent. Voilà pourquoi nous devons ajuster notre pensée sur ce que nous voulons voir arriver dans notre vie.

Observez les personnes optimistes, tout le monde est attiré et porté à croire en elles et en leurs projets. Leur dynamisme est contagieux. Ce que tu fais te fait, c'est inévitable. La personne qui se plaint constamment nous donne envie de la fuir.

Ça me rappelle un événement déclencheur survenu en 1989. Je rêvais alors de lancer ma propre entreprise. Je n'aimais plus mon travail ni l'ambiance négative du bureau, où tout était systématiquement dénigré!

Pétula Clark chantait jadis: «Tout le monde veut aller au ciel mais personne ne veut mourir.» Cela s'appliquait parfaitement au bureau puisque tout le monde détestait son travail et rêvait de démissionner, mais personne n'avait le courage de renoncer à sa sécurité d'emploi et à ses avantages sociaux. À force de côtoyer ce milieu, je déprimais de plus en plus car je les laissais me convaincre que mon projet était utopique.

Heureusement, je ne voulais pas en rester là. Mon amie Marie-Claire prospérait dans ses affaires depuis plusieurs années et j'avais décidé de faire appel à ses conseils. J'avais confiance en elle et, de toute façon, je me disais que je n'avais rien à perdre à la consulter.

Son horaire chargé faisait en sorte que nous nous voyions très peu, mais elle me donna rendez-vous le dimanche suivant, à l'heure du déjeuner. Bien installées toutes les deux, devant un bon café dans un petit bistro sympathique, je lui fis part de mon projet et des nombreux doutes qui m'assaillaient.

Je ne sais pas si c'est parce qu'elle vient du lac Saint-Jean, mais cette femme dynamique pète littéralement le feu. Avec elle, impossible de rester longtemps dans le doute. Quand j'ai commencé à dire que je ne voyais pas d'issue à ce problème, elle m'interrompit tout de suite d'un signe de la main!

«Avant de faire le tour de la question, l'intention doit être très claire. Le veux-tu vraiment? Es-tu décidée à tout mettre en oeuvre pour mettre ce projet sur pied?»

J'avais les yeux écarquillés et les oreilles tendues pour écouter son message enflammé. Ses paroles et son enthousiasme me secouaient et me faisaient réaliser qu'il était temps de me décider, une fois pour toutes. Imaginez lorsqu'elle ajouta: «Tout est possible, on peut réinventer sa vie en dix minutes si on le veut vraiment!»

Eh bien là, je ne tenais plus en place sur ma chaise, mon excitation était à son comble pendant qu'elle continuait sur sa lancée.

«Notre vision importe plus que tout. Si l'on se croit capable d'accomplir quelque chose alors, on le pourra. Dans le cas contraire ce sera impossible. Pourquoi? parce que notre capacité de visualiser notre but atteint, nous aidera à trouver les moyens d'y parvenir et ainsi aplanir des difficultés en apparence incontournables. À chaque étape, nous puiserons en nous les ressources nécessaires pour avancer vers notre but et surmonter les obstacles, s'il y a lieu. Comme on n'aura pas perdu de temps à les appréhender, ils nous paraîtront moins durs à surmonter car on ne les vivra qu'une seule fois, au lieu de deux.»

Allumées par ses propos, nous avons commandé un autre café pendant que nous faisions le tour de ma situation financière. «Ça ne sera pas bien long à faire, j'ai dépensé mon cinquante cents depuis belle lurette!», lui ai-je dit avec empressement.

Son interrogatoire minutieux me rappela que j'avais un fond de pension accumulé avec d'anciens employeurs, qui, selon son expertise, pouvait me servir de garantie pour négocier une marge de crédit commercial. Elle semblait familière avec ce jargon.

Effectivement, mon institution bancaire accepta cette proposition dans les semaines suivantes. Je venais de franchir un mur qui m'était toujours apparu insurmontable. Je croyais ce mur en béton, alors qu'en réalité, il était en papier. Mais la seule façon de s'en apercevoir, c'était de le traverser.

Je travaille encore à mon compte et ça va très bien. Depuis ce jour j'ai rayé le mot «impossible» de mon vocabulaire. J'avais choisi de changer le cours de ma vie et cette nouvelle décision me permettait enfin de réaliser ce qui me tenait le plus à coeur. Cette décision faisait en sorte que je me sentais riche sans pourtant avoir plus d'argent dans mon portefeuille ce jour-là.

Il est important de croire en ses rêves, car à force d'y croire, nos rêves finissent par se réaliser. J'ai eu la preuve qu'en tout temps et en toutes circonstances, nous pouvons réinventer notre vie. Il n'en tient qu'à nous, et personne ne peut prendre cette décision à notre place!

Pensée

Après avoir passé ma vie
à vouloir aider les autres
à réaliser leurs rêves,
je m'occupe maintenant
de réaliser les miens!

Chapitre -3-

Passer à l'Action

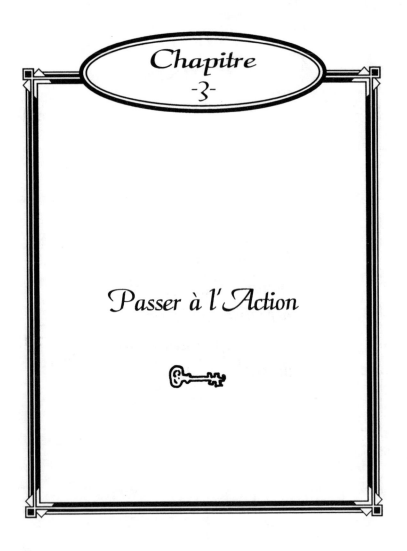

Parler est facile, mais agir en conséquence est plus difficile, j'en sais quelque chose. Un jour ou l'autre, il faut cesser de se gargariser avec de belles paroles et passer à l'action. La théorie, c'est bien beau, mais l'appliquer c'est encore mieux. Si tous nos grands constats ne nous aident pas à mieux vivre notre lundi matin, à quoi riment ces beaux discours?

Je me souviens de ma dernière année d'étude pédagogique en enfance inadaptée à l'école normale Jacques-Cartier. Nous avions des discussions interminables, à la cafétéria, où nous nous promettions de refaire le monde. Nous voulions faire mieux que les générations précédentes; leurs résultats ne nous semblaient pas bien difficiles à surpasser. Fraîchement moulus d'une tonne de cours, nous terminions plutôt que d'habitude à cause de l'exposition universelle qui débutait au mois d'avril 1967, à Montréal. Le monde s'ouvrait à nous et nous étions prêts à lui tendre les bras.

Enfin nous pourrions mettre en pratique toutes ces années d'apprentissage. Le temps était venu de partir à l'aventure et de devenir l'explorateur de notre propre vie. Nous voulions marcher dans la parade, et même l'organiser, plutôt que de la regarder défiler passivement devant nous. Nous étions résolus à mener l'action plutôt qu'être menés par elle; à prendre les risques nécessaires pour vivre selon nos propres normes.

Il fallu peu de temps pour s'apercevoir à quel point notre détermination serait mise à l'épreuve. La vie ne nous livre pas tout ça comme une pizza! C'est à nous de pelleter le charbon si nous voulons que notre train avance.

Après avoir travaillé durant les six mois de l'Expo comme caissière aux manèges de la Ronde, je devais partir avec mes deux meilleures camarades de classe pour un an, et faire le tour de l'Europe.

Nous voulions aller rencontrer plein de gens et découvrir le monde par nous-mêmes, autrement que dans les livres. Voyager en Europe en autostop à cinq dollars par jour, était notre objectif. Nous ne voulions pas vivre ça en touristes, nous voulions «parler au vrai monde», selon notre expression. Nous étions prêtes à travailler dans des bistros si l'argent venait à manquer.

Pour éviter de tomber dans le piège des obligations du système et de nos copains, nous nous étions juré de faire ce voyage dès la fin de nos études pour ne pas le regretter plus tard, tandis que nous changerions les couches de nos p'tits.

Dès le premier mois de l'Expo, nous avons commencé à nous voir moins souvent, nos horaires de travail ne coïncidant pas. Je travaillais six jours par semaine et en temps supplémentaire, remplaçant les absents, afin de payer mon voyage et rembourser une partie du prêt étudiant.

N'ayant qu'un seul jour de congé par semaine, le lundi, j'avais quand même trouvé le moyen de me procurer toutes les cartes géographiques des pays à visiter et obtenu mon permis de conduire international.

Donc, je me sentais d'attaque pour la réunion mensuelle prévue pour la préparation de notre voyage. En raison des heures de travail pro-longées, notre premier rendez-vous fût fixé à une heure plutôt incongrue, au beau milieu de la nuit. Le lieu de rencontre: le restaurant St-Denis au carrefour du métro Berri-Demontigny. Je venais de terminer mon travail tandis que mes deux copines commenceraient le leur quelques heures plus tard.

Le temps de l'insouciance étant révolu, nous avions troqué nos vieux frocs d'étudiants pour des ensembles tout neufs. Le milieu du travail nous changeait beaucoup du milieu étudiant. Malgré tout, nous étions très heureuses de nous retrouver. Je sentais qu'elles avaient déjà pris du recul par rapport à notre projet de voyage. Intuitivement, sans savoir pourquoi, j'appréhendais l'issue de notre deuxième réunion. Mon pressentiment était bon car le mois suivant, elles venaient m'annoncer qu'elles ne pouvaient plus venir en Europe. Toutes les deux venaient de signer un contrat débutant en septembre, avec la plus grosse commission scolaire. J'étais la seule à avoir refusé la même offre la semaine précédente.

L'une d'elles se félicitait d'avoir loué un appartement meublé avec un beau divan carotté jaune et orange, et l'autre, d'avoir acheté la fameuse Camaro bleu Notre-Dame-du-Cap. Toutes deux avaient opté pour la sécurité d'emploi, s'inquiétant trop du retour pour risquer l'aventure. Elles avaient même tenté de me dissuader, suggérant qu'il serait beaucoup plus raisonnable de passer trois semaines en Europe l'été suivant, pendant les vacances annuelles.

J'étais déçue, mais je n'avais guère le choix d'accepter leur décision. Je leur ai souhaité «Bonne chance» en les quittant. Je n'avais aucune envie de devenir raisonnable. Raisonnable, mon oeil! L'idée de partir seule dorénavant, m'obligea à réévaluer ce projet qui correspondait encore bel et bien à ce que je voulais faire. Je ne pourrais plus compter sur les autres, mais ma décision était prise: même seule, j'y allais!

Entretemps, j'avais créé des liens avec une copine de travail qui a osé s'embarquer avec moi sur «Le Carmania» avec un billet ouvert pour un an! L'exposition universelle se terminait le 31 octobre, et le 4 novembre nous quittions le pays.

Passer à l'action implique des choix à faire et des décisions à prendre. Tel un capitaine à bord de son navire qui s'est préparé au voyage en étudiant le trajet: il connaît le point de départ et le point d'arrivée. Cependant tout au long de sa route, il devra s'ajuster aux différents éléments rencontrés, prendre les mesures nécessaires pour y faire face, et mener son bateau à bon port.

Je dois vous avouer que, malgré des péripéties de toutes sortes, ce voyage a été absolument extraordinaire et qu'il a modifié le reste de ma vie. Le retour au quotidien n'a pas été particulièrement facile, mais je m'en suis vite remise. J'ai fait comme le chat, je suis rapidement retombée sur mes pattes.

Finalement, j'ai très peu enseigné car je me suis orientée vers les relations publiques. Ce voyage m'avait donné la bougeotte. J'ai toujours occupé des postes intéressants et mené une vie trépidante remplie d'évènements publics, de rencontres superbes et de nombreux déplacements.

Mes deux copines devenues sédentaires ont beaucoup regretté d'avoir manqué ce voyage et m'ont toujours trouvée chanceuse de travailler en communications et de pouvoir voyager.

43

Ma recette est très simple: notre chance, nous la faisons nous-même. Il suffit de passer à l'action quand c'est le temps et de sortir de notre torpeur pour devenir l'acteur principal de notre vie. L'hésitation peut parfois nous faire passer à côté de choses extraordinaires qui ne se représenteront peut-être jamais.

Faire des projets s'avère inutile si on ne peut les mener à terme. Il y a beaucoup de parleurs et bien moins de faiseurs. Un jour ou l'autre, nous devons cesser de remettre notre pouvoir entre les mains des autres et de les blâmer pour tout ce qui nous arrive ou ne nous arrive pas. C'est à nous d'agir.

Le monde s'écarte pour laisser passer celui qui sait où il va. Toutefois prenons notre place dans la vie car personne ne nous la donnera.

Pensée

*L'évolution
est la plus grande
de toutes les aventures humaines.*

Chapitre
-4-

Miser sur l'Être
au lieu
de l'Avoir et du Paraître

Saint-Exupéry disait: «L'essentiel est invisible pour les yeux».

Nous arrivons sur terre avec nos valeurs intérieures et nous la quittons avec ce que nous en avons fait. L'important est ce que nous sommes; ce que nous avons ou paraissons ne compte pas en bout de ligne. Tout ce qui est matériel n'est que temporaire et nous n'emportons rien de tout cela avec nous en quittant la terre. Alors pourquoi y attacher tant d'importance?

L'opinion que les autres se font de nous leur appartient. Les apparences souvent trompeuses contribuent à créer des impressions si fortes qu'elles nous empêchent souvent de reconnaître l'être qui se trouve devant nous.

Quand quelqu'un a perdu tous ses biens matériels, il lui reste encore sa richesse intérieure.

Et ça, rien ni personne ne peut le lui enlever. J'ai eu l'occasion de côtoyer un homme prospère qui racontait à quel point il ne s'était jamais senti aussi bien de toute sa vie depuis qu'il n'était plus l'esclave de sa fortune. Son stress à propos de l'argent l'avait quitté en même temps que toutes ses richesses matérielles.

Miser sur les vraies valeurs de la vie nous amène à définir nos vrais besoins et à laisser tomber les faux désirs. Par exemple, si j'ai besoin d'une auto pour me déplacer, le choix devrait se faire en fonction de mes besoins et de mon budget. Le but n'est pas d'épater mon entourage avec une Rolls Royce. L'important est de ne pas perdre de vue que c'est d'un moyen de transport dont j'ai besoin!

Un jour ou l'autre, la vie fera en sorte de nous amener à l'essentiel, à laisser tomber l'inutile, à chercher à l'intérieur de nous et non plus à l'extérieur.

J'avais une camarade de classe avec qui j'aimais bien rigoler. Après notre entrée sur le marché du travail, nous avons continué à nous voir. Son besoin de plaire dirigeait sa vie, et tout son argent passait en achat de maquillage et de vêtements. Elle me faisait tellement rire avec les exploits de ses conquêtes amoureuses, qu'ils sont devenus rapidement des récits mémorables. Les garçons de table de nos restaurants préférés avaient toujours l'air décontenancé devant ses propos croustillants. Pourtant cette fille séduisante, toujours habillée comme une carte de mode, ne faisait qu'accumuler les déceptions sentimentales.

Comme nous étions toutes les deux libres le jour de son anniversaire, nous nous étions donné rendez-vous après le travail à notre bistro préféré du centre-ville. Nous avons célébré et arrosé ses vingt-trois ans. Après la fermeture du bar aux petites heures du matin, chacune de nous, est repartie allègrement au volant de son auto. Sur le chemin du retour, victime d'un accident automobile, elle fut complètement défigurée.

Son désespoir du début fit graduellement place à un tout nouveau sentiment. L'infirmier travaillant sur l'étage sympathisait énormément avec elle, et tous deux ont développé des liens amicaux qui se transformaient à vue d'oeil. Je les

regardais parler ensemble, assis sur le lit d'hôpital et je n'en croyais pas mes yeux.

Pour la première fois de sa vie, elle ne jouait aucun jeu devant un homme et sa vulnérabilité la rendait beaucoup plus attachante. Sa plus belle histoire d'amour est née comme ça, habillée d'une petite jaquette d'hôpital et la tête enroulée de pansements! C'est quand même drôle quand on pense à tout l'argent qu'elle avait englouti dans sa garde-robe pour plaire aux hommes!

C'est alors qu'elle a compris que tout ce qui est superficiel ne sert pas à grand chose. La vraie beauté est intérieure.

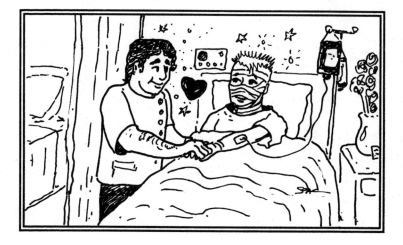

Pensée

Trop de gens vivent dans l'illusion
de ce qu'ils croient être!

Chapitre -5-

Être Vrai

Être vrai, c'est être authentique; c'est être ce que nous sommes au plus profond de nous. Pour y arriver, la première chose à faire est de prendre conscience que les différents rôles que nous sommes appelés à jouer au cours de notre vie, ne sont pas nous. Il faut arrêter de s'identifier à ces rôles et de simuler comme si notre vie n'était qu'une simple pièce de théâtre. Seul un être sans masque peut parler avec transparence car il a cessé de supporter une image pour être enfin lui-même!

Cela implique aussi, qu'il faut réapprendre à agir en fonction de soi, au lieu de toujours faire ce que les autres attendent de nous. Je l'ai fait suffisamment longtemps pour le savoir. Prendre du temps avec soi, au lieu de toujours chercher la compagnie des autres, est la seule manière de rapatrier son territoire. Vouloir à tout prix être aimé et faire mille compromis ne vaut pas la peine. Il est plus important d'être aimé pour les bonnes raisons, surtout si on veut que ça dure! Enlevons tous ces boulets à nos pieds et prenons notre envol. C'est à nous de lever la barrière sur nos restrictions intérieures et de faire les changements nécessaires pour vivre en accord avec ce que nous sommes maintenant.

Les questions les plus simples sont les plus profondes. Qui es-tu? Que fais-tu? Où vas-tu? Si l'on ne sait pas, il faut alors chercher les réponses, sans délai. En suivant notre intuition, nous trouverons des pistes importantes, mais il faut parfois aller à la limite de soi pour se retrouver.

Au milieu de la trentaine je me suis demandé si j'avais le courage de faire le grand ménage dans ma vie et de prendre le risque de tout faire basculer. J'en avais assez de fuir en faisant constamment la foire. J'avais l'impression que ma vie m'échappait et soudainement, mon entourage m'était apparu très superficiel. Je me sentais comme un vieux clown fatigué de faire son dernier tour de piste.

Après avoir quitté mon emploi, j'ai vécu une grande période d'isolement. J'avais peur que la deuxième moitié de ma vie ne soit qu'une pâle imitation de la première. Je n'en pouvais plus de performer. Je réalisais que mon divorce mal digéré m'était resté sur l'estomac. Je sentais le besoin de comprendre ce qui régissait tout mon être. C'est alors que j'ai décidé de suivre une analyse pour obtenir en quelque sorte, un diplôme sur moi-même.

Pendant les années qui ont suivi, j'ai consacré beaucoup de temps et d'argent à éplucher mon cas, selon l'expression. Celle de mon analyste était bien différente, vous vous en doutez bien. Grâce au support de ce thérapeute remarquable, je devenais de plus en plus lucide.

«Tout ce qui est inconscient va devenir conscient», m'avait-il expliqué dès le début. Moi, qui voulais tout comprendre, j'étais plutôt bien servie. J'avoue que ça m'a beaucoup éclairée et apporté une grande sérénité. À un moment donné, j'ai aussi compris qu'une analyse ne se termine jamais. C'est tout simplement une nou-velle façon d'entrevoir la vie avec une approche de soi beaucoup plus près de la réalité. Je me sen-

tais bien dans ma peau et même si tout n'était pas résolu; j'étais désormais capable de faire face à la musique seule car j'avais trouvé suffisamment de points de repère.

Puis, à force d'avoir tout analysé pendant autant d'années, j'avais maintenant l'impression de vivre seulement dans ma tête. Et, comme j'ai la manie de vouloir aller au bout du bout, il fallait que je fasse quelque chose. Ah! si ma mère vivait encore, elle me dirait que je me donne encore beaucoup de mal pour satisfaire mes lubies. Que voulez-vous que j'y fasse? c'est ainsi!

Je me sentais la tête grosse comme un ballon de football et j'avais grandement besoin d'habiter davantage tout mon corps. Le massage m'est alors apparu comme un moyen intéressant. Je cherchais quelqu'un de spécial qui comprendrait le sens de ma démarche et ne se limiterait pas au massage traditionnel.

Une amie récemment rencontrée lors d'une conférence de presse m'avait chaudement recommandé quelqu'un. Cette massothérapeute ayant elle-même suivi une analyse, voulait sensibiliser ses clients à reconnaître les émotions dans leur corps. Tout comme moi, son expérience personnelle lui avait démontré que les émotions ne se règlent pas seulement dans la tête, qu'on va encore plus loin en libérant le corps.

Notre première rencontre en avril 1986 fut déterminante, et j'ai tout de suite su que j'avais trouvé la bonne personne. J'étais alors consciente que le massage dépassait largement l'épaisseur de la peau et que pour accomplir ce travail en profondeur, il fallait d'abord établir un climat de confiance mutuelle. En sortant de son bureau après mon premier massage, je me sentais complètement détendue, légère comme une plume.

Nous avons pris tout le temps nécessaire pour que je me rende là où je voulais aller dans cette démarche. Encore aujourd'hui, ça me permet d'identifier les tensions dans mon corps et d'en trouver les causes. C'est ainsi que je peux vraiment les régler. C'est incroyable, l'inconfort qu'on peut supporter dans notre corps de façon inconsciente!

En se rapprochant de soi, on se rapproche des autres puisque nous les percevons à travers ce que nous sommes. Nous les entrevoyons alors, dans une perspective plus vraie. En cessant de jouer des jeux pour obtenir les résultats espérés, nous établissons une communication basée sur l'honnêteté et l'intégrité. Dire les choses telles quelles sont réellement, nous évite bien des détours inutiles. De toute façon quand on ment aux autres, c'est surtout à soi-même qu'on ment.

Quelqu'un qui est vrai, c'est quelqu'un qui accomplit ce qu'il doit faire sans attendre l'approbation des autres. Chacun de nous a sa route à tracer et personne ne peut nous rassurer quant à savoir si c'est le bon chemin. C'est à nous, et à nous seul, qu'il faut s'en remettre. Tant de gens vivent dans l'illusion de ce qu'ils croient être! Soyons vrais.

Pensée

Sortir plus grand de sa vie
que lorsqu'on y est entré.

Chapitre
-6-

Apprendre à se Centrer

Prendre quelques instants à chaque jour pour se centrer est une excellente façon de rester vraiment en contact avec soi. Cela nous permet de rester alignés sur ce que nous voulons être et sur ce que nous voulons faire. Tout devient limpide dans ces moments précieux qui nous permettent de vérifier si nous sommes dans la bonne direction pour atteindre nos buts. Cette petite mise au point quotidienne nous aide à éviter la dispersion à travers une foule d'activités qui nous éloignent de nos buts la plupart du temps.

Se centrer nous permet de mieux saisir le sens des événements de la vie, de prendre un certain recul. Il devient parfois nécessaire de se donner du temps pour réfléchir à certaines situations, pour ensuite faire des choix éclairés. Passer tous les éléments au tamis et garder ce qui convient en laissant aller le reste, n'est-ce pas ainsi qu'on fabrique les meilleurs vins? Alors si je veux faire de ma vie un grand cru, il n'en tient qu'à moi.

Lorsqu'on est centré, il est plus facile de régler au fur et à mesure les problèmes qui se présentent, au lieu de les fuir ou de ne pas en prendre conscience. Nous vivons alors dans la réalité. Nous nous évitons ainsi, un réveil brutal quelque dix ans plus tard: «Que s'est-il passé? Je ne me suis aperçu de rien.» Être centré nous aide à mieux savoir où nous en sommes et à voir beaucoup plus clair.

Faire le silence en soi, se recueillir, c'est une autre façon de se centrer. C'est dans le calme que cela devient possible. Il faut arrêter le défilé de nos multiples pensées en faisant le vide en quelque sorte. C'est aussi une façon très efficace de se détendre.

L'expression «Je vais dormir là-dessus» est une vraie perle. Pour ma part je trouve beaucoup de réponses tôt le matin, quelques instants avant d'être complètement réveillée. Il faut être attentif car ces informations passent à la vitesse de l'éclair et constituent une véritable petite mine d'or. Surtout ne vous découragez pas si vous avez l'impression de ne rien vous rappeler, ça reviendra plus tard dans la journée ou au moment opportun.

C'est ainsi que chez moi, le déjeuner est devenu notre bulletin de nouvelles personnelles.

Il existe beaucoup de moyens pour nous aider à nous centrer et il appartient à chacun de trouver ceux qui lui conviennent. Peu importe le choix que vous faites, ne perdez pas de vue le but de l'exercice au profit de la méthode. Suivez toujours votre intuition. La différence des chemins pour y arriver n'a aucune espèce d'importance. Ultimement nous arriverons tous au bon moment, au bon endroit. Et, chacun en son temps!

Parmi la variété des méthodes existantes pour se centrer, en voici quelques-unes: faire de belles grandes promenades en pleine nature, pratiquer les arts martiaux, faire du yoga, prier, méditer, etc. L'important est de prendre un temps d'arrêt de vos activités trépidantes pour vider votre esprit de toutes préoccupations. Si vous saviez le nombre de fois où l'inspiration m'est venue en regardant les canards dans l'étang du Parc Lafontaine! Ce n'est pas plus compliqué que ça!

Être centré, c'est également être équilibré et se sentir solidement ancré. Quand nous sommes bien ancrés, nous ne laissons pas les événements nous perturber. Nous laissons couler le flot de la vie sans nous écrouler sous le poids des expériences.

Les arts martiaux contiennent des enseignements millénaires merveilleusement applicables en ce sens. En taï-chi ou Qi Gong par exemple, lorsque nous sommes bien en position sur un mouvement et parfaitement centrés, rien ne peut nous ébranler. Mon professeur se plaisait à nous le démontrer en nous poussant fortement pour nous faire prendre conscience qu'en cet instant, nous étions invincibles.

Comme j'aimais prendre contact avec cette partie invincible en moi! C'est une des belles découvertes que l'apprentissage à se centrer a fait émerger. Pour une meilleure prise de conscience de soi, soyons Présents au présent.

Pensée

La vie est remplie de cadeaux,
même si parfois,
ils ont l'air bien mal emballés.

Chapitre
-7-

Lâcher Prise

Lâcher prise, c'est savoir accepter la vie telle que se présente sans chercher à tout contrôler. Lâcher prise, c'est également faire preuve de souplesse et faire «Un» avec tout ce qui arrive pour en découvrir le trésor qui s'y cache.

Nous perdons beaucoup de temps et d'énergie à résister aux événements et à vouloir en diriger le cours. Cette manie d'exiger que tout se déroule toujours exactement comme prévu peut devenir une attitude limitative, ne laissant aucune place pour la spontanéité. La vraie créativité nous amène à entrevoir certaines choses mais aussi à laisser beaucoup de place à l'improvisation, à ce que j'appelle l'intelligence de la situation. Un esprit vif et brillant est capable de s'adapter et de s'ajuster en tout temps et à toute situation. Voilà le véritable défi de la vie. La vie, ce n'est sûrement pas suivre un programme tout tracé d'avance.

Avez-vous remarqué comme les choses n'arrivent jamais telles qu'on les imagine ni au moment qu'on avait prévu?

Ça me rappelle ma rencontre avec le grand amour de ma vie en 1991. Deux ans auparavant, j'avais suivi un cours sur la tenue d'un journal quotidien et son impact dans notre vie. Cet outil avait pour but de nous amener à mieux définir nos objectifs en les écrivant, et d'en faciliter ainsi la réalisation.

Encore une fois, ma mère aurait dit:«Tu te donnes bien du trouble pour avoir du plaisir, ma fille!» Célibataire depuis un bon moment, j'avais immédiatement dressé la liste des caractéristiques de l'homme idéal, que j'espérais rencontrer, bien sûr!

Comme je traversais une grande période de changements, cette liste de trois pages, se modifiait régulièrement. Une amie m'avait même conseillé de placer cette liste sous mon oreiller et d'y penser à chaque soir avant de m'endormir pour ainsi programmer notre future rencontre. Ô visualisation, quand tu nous tiens! Je remettais ma liste à jour de temps en temps, en y accordant autant d'importance qu'au tout début.

Puis, par un bel après-midi d'été indien, je suis allée prendre une grande marche dans le parc Lafontaine, mon lieu de prédilection en face de chez moi. J'ai d'ailleurs passé une bonne partie de ma vie à déménager autour de ce parc!

Assise sur un banc devant l'étang, je songeais à ma fameuse liste de l'homme idéal. Je ne sais pas pourquoi mais tout à coup, je trouvais tout ça ridicule et j'ai éclaté d'un grand rire. C'est toujours un peu gênant de rire tout seul, mais dans le parc Lafontaine, ça passe relativement inaperçu, c'est chose courante! Disons en passant, que selon les enquêtes sociologiques des années 80, ce quartier était classé parmi les plus marginaux de la ville de Montréal.

Et là, soudainement, j'en ai eu assez de tous ces scénarios de rencontres amoureuses. J'ai complètement décroché à la seconde même. Je réalisais que j'avais passé ma vie dans l'attente de cette rencontre, et voilà que je m'en moquais éperdument.

Je me disais que j'avais sans doute autre chose à faire que de vivre une relation de couple heureuse et épanouissante. Le soir venu, après

avoir enlevé ma liste dessous mon oreiller, j'ai brûlé toutes ces pages dans les braises incandescentes du foyer, en portant un toast à ma nouvelle décision. Je me sentais libérée d'avoir pu enfin me réveiller et cesser de rêver ma vie.

Croyez-le ou non, douze heures plus tard, je le rencontrais. C'était un petit rendez-vous d'affaires qui avait si peu d'importance à mes yeux, que je ne m'étais même pas maquillée! Chose très rare pour moi dans ce temps-là car j'étais toujours sur mon trente-six, «marketing» oblige dans le milieu des relations publiques!

Devenus collaborateurs, nous avons dû nous revoir quotidiennement. Dès nos premières rencontres, l'étincelle a jailli entre nous. J'ai tout de suite su que c'était lui! Trois semaines plus tard, il emménageait chez moi et nous nous sommes mariés huit mois après, ce que jamais je n'aurais cru!

Je sais maintenant que tout ce qui arrive est toujours pour le mieux. Même si j'ai trouvé le temps long avant de rencontrer cet homme, aujourd'hui je remercie le ciel d'avoir eu la sagesse d'attendre que je sois prête à vivre cette union avant de me le faire rencontrer. Voilà pourquoi aujourd'hui, ça marche entre nous.

La vie est remplie de cadeaux même si parfois, ils ont l'air bien mal emballés à première vue. C'est justement à cause de cela, qu'il est si important d'être capable de lâcher prise et de faire davantage confiance à la vie.

Pensée

Qui sommes-nous pour juger?

Chapitre -8-

Vivre et Laisser Vivre

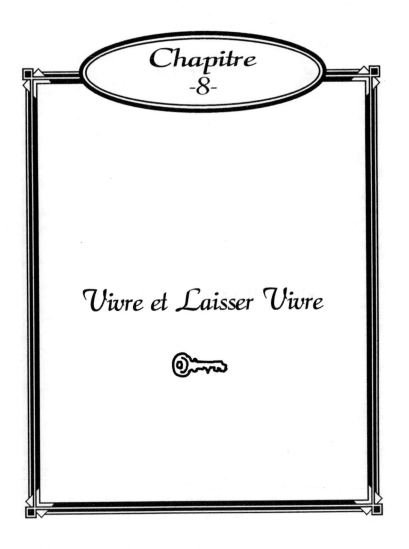

Pourquoi notre angle de vision serait-il le seul valable? Qui sommes-nous pour juger?

Le respect est une valeur capitale de la vie qui, malheureusement, fait souvent défaut de nos jours. Pouvons-nous blâmer les autres de ne pas avoir la même perception que nous? L'intolérance peut nous jouer des tours, et des surprises nous attendent, car j'ai souvent constaté que la vie fonctionne comme une porte western dont le retour en pleine gueule ne tarde pas!

Que se passe-t-il lorsqu'on décrit un diamant à mille facettes? Chacun le décrit selon l'angle sous lequel il le voit, et tous ont raison malgré les mille versions différentes.

Il est impératif de se respecter soi-même. D'abord parce que je ne peux donner aux autres ce que je suis incapable de me donner à moi-même. S'accepter et s'aimer tel qu'on est, voilà le point de départ de tout rapport authentique avec autrui. J'ai besoin des autres et les autres ont besoin de moi: nous sommes tous reliés. C'est à travers nos relations avec les autres que nous pouvons nous découvrir et évoluer. Je ne peux pas me comporter comme si j'étais seule au monde car nous interagissons tous, les uns sur les autres!

Lorsque nous respectons quelqu'un, nous sommes plus compréhensifs à son égard. Si pendant quelques minutes nous nous mettions à sa place, notre jugement serait sûrement moins sévère. La face du monde changerait si nous étions capables d'accepter que les autres vivent comme ils l'entendent et pas nécessairement selon nos critères. Être à l'écoute des autres sans chercher tout le temps à leur couper la parole, est un bon exercice. Ce ne sont pas les occasions qui manquent!

Durant la dernière année de son cours secondaire, l'aînée de mes deux filles me donna une très belle occasion de pratiquer ce beau principe. Étant chef d'une famille monoparentale, mes deux filles étaient au coeur de mes préoccupations et de ma vie. Et voici qu'au retour de l'école vers la fin du mois de mars, Katrine m'annonce fièrement qu'elle vient de se décider, à savoir ce qu'elle veut faire dans la vie.

Les dépliants de l'orienteur en main, elle voulait étudier les techniques de soins pour chevaux. Ce cours de trois ans se donnait seulement à La Pocatière, à plus de deux cents kilomètres de chez nous. Plus je l'écoutais m'en parler, plus je la sentais emballée et plus mon estomac se nouait. J'en ai tout de suite déduit que l'élevage des chevaux, c'était plutôt rare rue Marianne à Montréal, là où nous habitions. Donc du même coup, elle m'annonçait, qu'à seize ans, elle quittait définitivement la maison. Même si je réalisais que ma fille devenait de plus en plus autonome, je ne m'attendais pas à la voir partir si tôt.

Comme je l'avais élevée dans la perspective de toujours croire en ses rêves, j'étais plutôt mal placée pour chercher à la décourager. D'autant plus qu'à cet âge, les jeunes sont particulièrement vulnérables et font confiance au jugement de leurs parents, beaucoup plus qu'ils ne le laissent croire.

Je trouvais important de mériter sa confiance et à aucun prix, je ne voulais en abuser.

Cependant, je me demandais si elle réalisait ce qu'elle faisait. Mais je n'ai pas tenté de la dissuader. Je peux vous dire que j'ai passé plusieurs nuits blanches à ressasser tout ça et à pleurer, le coeur en miettes.

J'ai téléphoné à cette école, pris toutes les informations nécessaires, et demandé le formulaire d'inscription. Après tout, il fallait bien se préparer. Le formulaire complété avait été expédié et les renseignements sur l'hébergement semblaient convenables.

Un mois s'était écoulé quand la nouvelle est arrivée. Son inscription était refusée car ses notes en mathématiques et en chimie étaient trop basses. L'occasion était belle et pourtant je me suis débattue avec le directeur de l'école pour trouver une solution. Si elle acceptait de suivre des cours de rattrapage tout l'été et que les résultats satisfaisaient aux normes, elle pourrait être admise. Sinon elle devait attendre un an et reprendre sa dernière année scolaire.

Katrine refusa tout net. Changeant brusquement d'orientation, elle décida d'aller au CEGEP du Vieux-Montréal.

Pour ma part, peu importe le dénouement, j'avais passé le test. J'étais contente d'avoir réussi à respecter son choix même si cela ne faisait pas du tout mon affaire.

Cela m'avait fait réaliser qu'il était temps que je pense à moi dorénavant, et que je cesse de couver mes deux filles. On doit vivre pour soi d'abord et éviter de baser sa vie sur ses enfants. Le compte à rebours venait de commencer et ce n'était plus qu'une question de temps avant qu'elles ne quittent la maison difinitivement.

Je me sentais désormais capable d'accepter qu'elles puissent emprunter les routes qui leur convenaient. Le plus beau de l'histoire c'est que j'ai pu m'accorder le même privilège: j'ai changé d'orientation professionnelle. D'ailleurs, mes deux filles m'ont beaucoup encouragée dans cette direction. En fait, il s'est produit un juste retour des choses, elles ont respecté mon choix comme j'ai respecté le leur.

Curieusement, trois ans plus tard, c'est moi qui ai quitté la maison. J'ai annoncé à mes filles que je sentais le besoin de vivre seule en appartement pour la première fois de ma vie! Ça faisait plus de dix-neuf ans que je faisais pour elles tout ce qu'il fallait et je voulais dorénavant m'occuper de moi.

Je souhaitais dormir sur mes deux oreilles la nuit et ne plus me réveiller lorsqu'elles rentraient bruyamment en fin de soirée. Je n'en pouvais plus d'entendre le téléphone sonner sans arrêt pour elles et de subir leur musique à tue-tête.

Ces deux filles saines et équilibrées avaient bien traversé le temps, en passant de la Souris Verte à Céline Dion, des souliers de courses aux talons hauts, du bal de finissants aux peines d'amour. Cela m'amenait à penser que je pouvais mettre ma job de mère en veilleuse.

Vingt ans plus tard, je pourrais enfin choisir des petits pots de confiture à mon goût!

Le choc de ce déménagement passé, mes deux filles ont fini par comprendre et respecter mon choix, même si elles trouvaient que je me comportais comme une adolescente! C'était amusant d'inverser les rôles pour une fois! Notre complicité n'en était que plus intense encore.

C'est merveilleux de vivre et laisser vivre.

Pensée

Lorsqu'on arrive à pardonner,
cela nous amène
à quitter définitivement des gens,
qu'on croyait avoir quitté
longtemps auparavant.

Chapitre -9-

Apprendre à Pardonner

Lorsqu'on arrive à pardonner, cela nous amène à quitter définitivement des gens qu'on croyait avoir quitté longtemps auparavant. Tant qu'on ne pardonne pas et qu'on en veut encore à une personne, on la maintient présente dans notre vie.

Une voisine divorcée depuis plusieurs années parlait encore de son ex-mari avec véhémence malgré la thérapie qu'elle avait suivie après sa séparation. À l'entendre, on se rendait vite compte qu'elle lui en voulait encore beaucoup sans pourtant vouloir l'admettre. Voisines depuis toutes ces années et allant au parc avec nos enfants du même âge, nous étions devenues amies. Régulièrement nous aimions prendre un petit café, soit chez elle ou chez moi, pour parler de notre vécu.

J'avais beau lui conseiller d'arrêter de se complaire dans cette ambiance négative, alourdie par les amours malheureux de Reggiani, ce disque jouait à journée longue chez elle. Même si je l'aimais bien, Reggiani n'améliorait pas son cas. Un jour pour faire diversion, je lui ai offert un disque de Roger Whittaker ayant pour titre: «Un éléphant sur son balcon». Je voulais lui faire une blague et l'aider à décrocher de son attrait morbide pour le malheur sentimental.

J'ai profité de l'occasion pour lui proposer un petit jeu, et de bonne foi, elle accepta. Il s'agissait de colorier, sur le calendrier suspendu au mur de sa cuisine, une case pour chacun des jours où elle parlerait de son ex-mari.

«On verra bien! C'est pas si pire que ça en a l'air», me lança-t-elle, sûre d'elle-même.

À la fin du premier mois, sirotant notre café dans sa cuisine, nous regardions les résultats. La moitié des cases du calendrier était coloriées, soit quinze jours sur trente. Je vous assure que si vous aviez pu voir sa tête à ce moment-là, tout comme moi, vous auriez eu peur de voir sa mâchoire se décrocher.

Eh oui! C'est bien vrai: «Une image vaut mille mots». Étonnée, elle finit par admettre qu'elle lui accordait encore une grande place dans sa vie, en dépit de toutes ces années de séparation. Ce calendrier en témoignait.

Le choc passé, elle avait réalisé beaucoup de choses et elle décida de poursuivre le petit jeu. Le mois suivant, portant davantage attention aux sentiments qu'elle nourrissait à son égard elle décida de le surnommer dorénavant «l'ex» car elle ne voulait plus l'identifier par rapport à elle-même. Youppie! un grand pas dans la bonne direction.

À partir de ce moment-là, elle fit beaucoup moins allusions à «l'ex» en question. À la fin du deuxième mois, huit cases coloriées lui donnait une nouvelle moyenne de deux fois par semaine.

À la fin de chaque mois, notre petit rituel se poursuivait avec un bon café. Les cases coloriées diminuaient à chaque fois et nous étions heureuses du progrès. J'appréciais de plus en plus cette amie qui, au lieu de subir son sort, faisait des efforts pour s'en sortir. D'ailleurs elle paraissait mieux dans sa peau et bien moins aigrie.

À la fin du troisième mois, seulement cinq

cases étaient coloriées. Ce qui voulait dire qu'elle parlait de «l'ex» environ une fois par semaine.

Puis le mois suivant, elle en parla seulement trois fois. Cela représentait un progrès énorme aux yeux de tous ceux qui la connaissaient bien.

Au bout de six mois, nous étions toutes les deux fort excitées devant le calendrier vierge! Nous avons célébré en buvant un super café Irlandais. Elle n'en avait fait aucune mention durant tout le mois. Ses yeux brillaient d'un nouvel éclat, elle avait même embelli.

Le plus important dans tout ça, c'est qu'elle avait enfin été capable de pardonner! De lui pardonner et de se pardonner! car pardonner, c'est avant tout se réconcilier avec soi-même. Pardonner, c'est accepter les expériences de la vie et chasser l'amertume de son coeur.

Pourquoi en voulons-nous autant et durant si longtemps à certaines personnes?

Le plus difficile est peut-être d'admettre tout simplement, que cette personne ne pouvait pas répondre à nos besoins ni être comme nous l'aurions voulu. Nous n'avons pas réussi à la

changer et il faut maintenant lever le voile sur cette grande illusion, puisque la seule personne qu'on peut vraiment changer, c'est soi-même.

Ces situations nous font vivre un sentiment d'échec et personne n'aime sentir qu'il s'est trompé. Ces expériences font pourtant partie intégrante du parcours de la vie et nous devons les assumer.

Il faut arriver à s'élever au delà d'une expérience malheureuse et être capable d'en tirer la bonne leçon. C'est une merveilleuse occasion d'apprendre à faire confiance de nouveau à la vie et de faire le grand ménage dans notre coeur.

Souvenons-nous que le hasard n'existe pas, et que tout ce qui nous arrive est toujours pour le mieux, quelles que soient les apparences.

Pensée

La vie nous envoie des signes
qu'il faut apprendre à reconnaître.

Chapitre
-10-

Être à l'Écoute
de ce que la Vie
nous apprend.

Comme s'il était question d'une série de tests à passer ou d'épreuves à franchir lors d'un rallye automobile, la vie nous envoie des signes que nous devons apprendre à reconnaître. Ces expériences visent ni plus ni moins à nous amener dans une certaine direction selon le même principe de fonctionnement que l'entonnoir.

Que ce soit la nature, les événements ou les personnes, tout nous livre des informations. Il suffit d'être à l'écoute pour traduire ce que l'univers espère nous faire comprendre à travers tous les événements du quotidien.

Rien n'arrive jamais pour rien. Quand un obstacle à un projet se présente, c'est souvent l'équivalent d'un feu rouge. Si la vente de votre maison retarde, dites-vous bien que c'est peut-être mieux ainsi. Au moment où la transaction se fera, vos besoins auront tellement changé, que votre premier choix ne conviendrait plus, et tout serait à recommencer.

Avec le temps j'ai appris à toujours suivre mon intuition, elle ne m'a jamais trompée. J'ai toujours regretté de lui avoir manqué de fidélité... Tout le monde a de l'intuition. C'est une espèce de petite voix intérieure qui nous suggère ce qu'il faut faire ou éviter de faire. Plus nous l'écoutons, plus elle s'amplifie et devient alors un guide inestimable dans notre vie.

Vous est-il déjà arrivé au volant de votre voiture d'avoir l'intuition de changer de chemin puis, de vous raisonner et d'emprunter la même route que d'habitude? Vous vous retrouvez un peu plus tard dans un embouteillage dû à un accident de la circulation. Vous vous dites alors: «J'aurais donc dû suivre ma première idée!»

Voilà entre autres, comment se manifeste l'intuition. Il s'agit simplement de l'écouter.

À force de me questionner, j'ai aussi réalisé que mes réponses sont souvent dans mes questions. Par exemple: «Est-il vrai que...? Est-ce que c'est bon pour moi...?» C'est sûr que c'est vrai et que c'est bon. Ne voyez-vous pas qu'au fond vous connaissez déjà la plupart de vos réponses? Toutes les réponses sont à l'intérieur de nous.

Pour ma part, je demande à la vie des confirmations sur mes choix et je les obtiens, mais de manière souvent inusitée. C'est étonnant les réponses qu'on peut obtenir par les chansons jouant à la radio. Un jour de déprime alors que je m'interrogeais, j'ai allumé la radio et entendu: «Ose y croire.» Puis peu après: «Un jour tu pourras déployer tes ailes à nouveau et t'envoler.»

Là, je me suis mise à pleurer à chaudes larmes, incapable de m'arrêter pendant une demie-heure. J'étais tellement émue! Je me sentais supportée par tout l'univers en cet instant. Et je sais, qu'il en est ainsi pour tout le monde, il suffit d'être à l'écoute pour capter les vraies messages qui nous parviennent souvent subtilement!

Les panneaux publicitaires, les journaux, les livres, les revues et les films peuvent aussi nous apporter beaucoup de réponses à nos questions. Chaque personne qu'on rencontre détient un message pour nous et nous en avons un pour elle. Voilà comment fonctionne la vie! Aujourd'hui j'aime m'amuser avec tout ce repérage, devenu pour moi un jeu d'enfant.

Par un bel après-midi de fin d'été, assise confortablement sur mon balcon, j'écrivais des textes pour un projet de relations publiques. Je me posais justement la question concernant un événement auquel j'aimerais participer. La vie est d'une précision incroyable car à cet instant même, passa sur ma rue un gros camion portant l'inscription suivante: «C'est bon pour vous». À la vitesse qu'il roulait, c'est tout ce que j'ai eu le temps de lire. Ça m'a fait sourire dans un premier temps puis, me rappelant que c'était la date limite d'inscription, j'ai tout de suite téléphoné pour confirmer ma présence.

Aucun doute ne subsistait, je devais aller à cette session d'une journée avec Anthony Robbins, au Palais des Congrès à Montréal. Nous étions deux milles personnes dans le domaine des affaires à assister à cette journée de motivation. Cela a eu beaucoup de répercussions sur ma façon de diriger mon entreprise de communication et m'a permis de rencontrer des gens absolument extraordinaires. Heureusement que j'avais su reconnaître ce signe bénéfique.

J'ai si souvent obtenu mes réponses ainsi, que tout ça m'a bel et bien confirmé l'importance d'être à l'écoute des signes que la vie nous envoie. Il suffit d'être attentif à ce qui se passe.

Chaque moment est unique et ne revient plus. Aucun autre ne lui sera identique. La qualité de notre présence dans la vie détermine notre degré de disponibilité à chaque instant.

Pensée

Ne laissez jamais personne
détruire vos rêves.

Chapitre
-II-

Vaincre ses Peurs

À force d'appréhender quelque chose, on le garde présent dans notre esprit et, même si ça ne se produit pas, on a l'impression de l'avoir vécu, enduré du moins.

D'où l'importance de se centrer sur la santé, l'harmonie, l'abondance et tout ce que nous voulons dans notre vie. Comme nous sommes la résultante de tout ce qu'on écoute, pense, regarde, et mange, prenons garde de faire consciemment tous ces choix dorénavant.

Peu avant de mourir, ma mère avait convoqué ses quatre filles, dont je suis la plus jeune. J'appréciais de me trouver seule à son chevet, pendant que les trois autres s'affairaient à charrier des plats de peanuts et à discuter dans la cuisine. J'étais consciente de l'importance de cet instant car je pressentais que c'était la dernière fois que ma mère me parlait de son vivant.

Cette femme, qui s'était sentie insécure toute sa vie, constatait à soixante-deux ans, que les trois-quarts de ses inquiétudes n'étaient jamais arrivées. Elle réalisait à ce moment-là, qu'elle avait passé sa vie à avoir eu peur de tout.

Elle me disait: «Surtout toi, fais donc pas comme moi. Je voulais quatre enfants, j'en ai eu neuf car le curé m'accusait de vivre dans le péché si je passais une année sans accoucher, et j'avais peur d'aller en enfer. Je rêvais de voyager et je suis partie une seule fois pendant une semaine en Gaspésie parce que je craignais qu'un de mes enfants tombe malade pendant mon absence.»

Je sentais tous ses regrets.

«Je t'ai aussi élevée dans la peur de la fin du monde annoncée pour 1960 par la Vierge à Fatima. Souvent je t'ai vu pleurer en disant que tu ne voulais pas mourir à quatorze ans! Dix ans plus tard, cette prédiction fatidique ne s'était toujours pas produite. J'ai passé mon temps à craindre le pire et à parler du malheur, et aujourd'hui je comprends que toutes ces peurs m'ont fait manquer bien des choses. Tu n'as que vingt-quatre ans, il n'est pas trop tard pour toi, tu peux réagir et changer.»

Je n'ai jamais oublié ses paroles, et son message m'accompagne précieusement dans la vie. C'est le plus bel héritage que cette femme pouvait me laisser. Elle confirmait tout ce que j'avais pressenti. La peur de perdre nous paralyse, et le doute tue nos rêves.

La peur nous empêche aussi de vivre. Je me rappelle qu'à trente-huit ans, j'avais encore très peur de l'eau. Nous venions de déménager à Boucherville, où la piscine municipale était superbe, et j'avais inscrit mes deux filles à des cours de natation. Pendant leur cours, du haut de l'estrade, je les regardais s'amuser dans l'eau et je les enviais.

Prenant mon courage à deux mains, j'ai décidé de m'inscrire au cours de natation pour adultes débutants où on m'assurait que je n'étais pas seule dans ce cas-là.

Au premier cours, nos jeunes et patients moniteurs ont dû nous accompagner jusque dans l'eau et nous tenir par la main, même dans trois pieds de profond. Imaginez le scénario! Le groupe de douze au départ diminuait au fil des semaines et nous n'étions que trois à terminer le cours et obtenir notre première *badge* de couleur jaune.

J'ai découvert la joie de sauter dans l'eau à partir du petit tremplin d'où j'ai inauguré mon premier saut le jour de ma fête, à trente-neuf ans. Les gens autour de la piscine extérieure semblaient étonnés de me voir courir sur la planche et crier avant chaque saut! Je me sentais comme une enfant, et mes filles, malgré leur jeune âge, semblaient un peu gênées de mon comportement. Ça m'a fait un bien énorme et ça m'a appris à me prendre beaucoup moins au sérieux. Bon sang que les gens sont pognés dans leurs rôles!

Vous connaissez maintenant ma manie de vouloir aller au bout, alors j'ai poursuivi jusqu'à la *badge* bleue mais j'ai dû m'arrêter là, avant de mourir au bord de la piscine. Ce club de compétition débutait son cours par 24 longueurs de piscine, juste pour se réchauffer! Je voulais vaincre ma peur de l'eau et j'avais réussi, mon objectif était atteint. Je voulais m'amuser dans l'eau mais je n'avais rien à prouver à personne.

J'ai vaincu mes peurs en les affrontant une à une et je pourchasse toutes celles qui se présentent encore parfois. La seule façon de vivre sans réserve est de vaincre ses peurs. Oui c'est vrai, la foi soulève des montagnes.

Ne laissez jamais personne détruire vos rêves!

Pensée

Les autres ne peuvent pas
nous apporter le bonheur,
ils ne peuvent que l'agrémenter.

Chapitre
-12-

Le Secret du Bonheur

J'ai aujourd'hui cinquante ans et je tiens à préciser que ma définition du bonheur a souvent changé au cours de ma vie. J'ai à peu près tout essayé pour le trouver et j'y ai mis beaucoup d'ardeur, croyez-moi! J'attendais beaucoup de la vie et la vie m'a beaucoup donné.

À dix ans, pour moi le bonheur, c'était d'aller au Parc Belmont, et m'y rendre une fois par an était loin de combler mes attentes. Avoir un beau bulletin, faisait aussi parti du bonheur même si je trouvais l'instant de fierté de mon père très bref, en comparaison de tous mes efforts pour obtenir ces notes.

À vingt ans, j'étais convaincue que l'amour d'un homme allait m'apporter le bonheur. Influencée par tous les romans et films d'amour à la mode, comment ne pas y croire?

Désillusionnée à trente ans, je divorçais. Je me disais que je m'étais peut-être trompée et que la réussite au travail pourrait très bien combler ce besoin de bonheur.

Au milieu de la trentaine après quelques promotions, j'avais enfin un poste de pouvoir et atteint une certaine réussite financière. Malgré les amis(es), les amours, les voyages, les partys trippants et les beaux décors, j'avais encore l'impression de passer à côté de quelque chose.

À quarante ans, après avoir passé ma vie à accumuler ces biens et ces privilèges, j'étais bien obligée de constater que le plaisir est une chose, et que le bonheur, en est une autre. L'amour, le pouvoir, l'argent et la réussite ne parvenaient pas à combler ce vide dans ma vie. Il s'ensuivit une profonde remise en question durant laquelle je me sentais comme un oignon qui enlevait toutes ses pelures pour se rapprocher de son centre.

Aujourd'hui, j'ai cinquante ans et je suis heureuse. J'ai envie de partager avec vous le fruit de mes recherches et de vous dire ce qu'est le bonheur, à mes yeux, bien sûr. Ma perception en est beaucoup plus simple et plus claire. À force d'avoir tant expérimenté ce qui ne me convenait pas, j'ai fini par savoir ce que je voulais vraiment. Je crois qu'il faut passer par là pour se trouver et se définir; du moins, ça aide énormément.

La première chose à savoir, c'est que le bonheur n'a absolument rien à voir avec la grosseur de notre maison, de notre voiture, de notre compte en banque ou de notre entreprise. Tant mieux pour vous, si cela peut vous faire gagner du temps! Personnellement je n'ai jamais été aussi malheureuse que dans ma belle grosse maison neuve. Cela n'avait rien à voir avec mon inaptitude à devenir banlieusarde ni avec les personnes de mon entourage immédiat, je me sentais tout simplement mal dans ma peau, quel que soit le décor!

Le véritable bonheur est à l'intérieur de nous, c'est avant tout un état d'être. Le bonheur, c'est être totalement en accord avec soi et avoir l'esprit en paix. Tout ça ne se trouve nulle part en dehors de nous. J'en ai mis du temps avant de m'en apercevoir!

Le bonheur c'est aller à l'essentiel et cesser de s'enfarger dans les fleurs du tapis. C'est dans les plus petites choses du quotidien qu'arrivent les plus grandes joies. Le secret du bonheur se cache dans les choses les plus simples alors que la majorité des gens le cherche tout le temps dans les choses grandioses. La vie serait un non-sens, si pour avoir du plaisir pendant deux semaines par année, on devait souffrir pendant les cinquante autres. Nous avons besoin de changer notre mentalité et d'apprendre à nous faire plaisir dans les petites choses de tous les jours.

Ce n'est pas tant ce qu'on a qui peut nous rendre heureux, comme le regard qu'on porte sur la vie. Notre capacité de s'émerveiller devant la vie est ce que nous avons de plus précieux pour vraiment la goûter et l'apprécier à sa juste valeur.

Ceux qui ont des aptitudes au bonheur cultivent forcément l'humour, et fort heureusement le rire est communicatif. Voir le bon côté de la vie et saisir avant tout l'aspect cocasse des événements de chaque jour sont des atouts à la portée de chacun. Être capable de rire de soi et de la vie, s'il y a lieu, est une attitude très saine.

Le bonheur, c'est se sentir bien dans sa peau, s'aimer et s'accepter comme on est. Si on ne se sent pas bien avec soi-même, il est impossible de se sentir bien avec les autres. Je suis mon propre plat principal et les autres représentent le dessert.

Ils ne peuvent pas éternellement me servir de béquilles. Bref les autres ne peuvent pas nous apporter le bonheur, ils ne peuvent que l'agrémenter.

De grâce, évitons de tomber dans les nombreux pièges qui nous font chercher le bonheur là où il n'est pas. La société actuelle nous montre une image du bonheur beaucoup trop basée sur une surconsommation de biens matériels. Ça ne va pas? Allez magasiner ou partez en voyage, ça vous changera les idées et tout ira mieux! C'est complètement faux!

J'ai moi-même expérimenté la chose à maintes reprises, et je peux vous dire que mes déprimes m'ont déjà coûté très cher. Non seulement ça n'a rien arrangé mais j'étais encore plus déprimée quand le compte de ma carte de crédit arrivait par la poste, même par un beau matin ensoleillé.

Un voyage peut tout arranger? Oh non! À mon retour, je n'avais même pas eu le temps de défaire mes valises que je me séparais le lendemain. Imaginez une belle plage dans le sud et moi, étendue au bord de la mer en maillot, en train de ruminer mon divorce sous le soleil des tropiques. J'avais pourtant un bien beau bronzage, mais il ne m'a pas empêchée de brailler comme une Madeleine. En fait, les vacances c'est comme le bonheur, c'est d'abord un état d'esprit. Au prix qu'il en coûte de nos jours, aussi bien rester chez soi, si on n'est pas en état d'en profiter. C'est pas plus drôle de pleurer au bord de la mer, et ça revient beaucoup plus cher!

Inutile de fuir car le problème est en nous. Peu importe où nous irons, il nous suivra. Voyager fait aussi partie du bonheur quand on le fait pour les bonnes raisons.

Prendre plaisir à la vie avec tous nos sens est un privilège inestimable de la race humaine. Prenons par exemple une de mes préférences: le plaisir de manger et de me gâter de temps en temps avec un délicieux fromage Brie triple crème accompagné d'une ficelle de pain frais et d'un bon vin. Le foie crie peut-être un peu en voyant apparaître tout ça mais j'ai toujours l'impression dans ces moments-là que mes papilles gustatives sont debout, en ovation sur leurs chaises! Mieux vaut être gourmet et avoir le plaisir de savourer que d'être gourmant et de tout avaler sans rien goûter. Cela s'applique à tous les plaisirs des sens.

C'est absolument merveilleux de sentir une odeur de fleurs printanières, d'écouter de la musique exaltante, de regarder des tableaux inspirants pour l'âme ou de vibrer aux sensations de la tendresse et de l'amour.

Apprécier la santé et faire en sorte de la conserver, fait aussi partie du bonheur. La nourriture saine contribue à nous garder en santé. Regardons notre assiette en nous disant que c'est ce qu'il y a dedans qui nous construira et nous apportera la vitalité et l'énergie dont notre corps a besoin. Beaucoup de gens prennent davantage soin de leur voiture que de leur corps. On peut pourtant changer de voiture aussi souvent qu'on le veut mais notre corps est notre seul véhicule tout au long de notre vie. Apprenons à prendre soin de nous et ainsi à jouir pleinement de nos capacités.

Apprendre à se détendre et à éliminer le stress est un atout primordial pour trouver le bonheur. Prenons les moyens d'y parvenir et accordons-nous du temps pour récupérer. Il vaut mieux se payer une séance de massage qu'une crise cardiaque.

La vie est un don absolument fantastique. Prenons la décision de participer totalement à cette merveilleuse aventure et d'entrer de plein pied dans la vie.

Ne laissons aucune place à la tiédeur! Vivons notre vie passionnément!

Qu'est-ce qu'on attend pour être heureux?

Table des matières

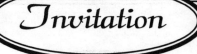

Invitation

A paraître à l'automne 1997
le 2e volume de cette trilogie

12 Clés pour l'Amour

Profitez de l'été indien pour venir faire
un tour dans les Laurentides dans le
cadre unique et chaleureux de notre
Galerie Boutique
Collection Muse et Mage

Vous pourrez rencontrer l'auteur
Jacinthe Rouleau
pour une séance de signature
dimanche le 12 octobre 1997
entre midi et 5 hres pm

Bienvenue

62 A rue Legault, Saint-Jérôme, Qué. J7Z 2B8
tél: (514) 565-9655   fax: (514) 565-1517